Collectio

Supplément réalisé avec la collaboration de
Dominique Boutel et Anne Panzani

ISBN : 2-07-031251-8

Numéro d'édition : 51263
Dépôt légal : Septembre 1991
Imprimé en Italie par La Editoriale Libraria

Je m'amuse en rimant

JEAN TARDIEU
ILLUSTRÉ PAR
JOËLLE BOUCHER

*Il était une fois,
deux fois, trois fois... ou
La table de multiplication en vers*

GALLIMARD

Les aventures d'une famille de chats

Le chat brun, dans le salon
A beau tourner en rond,
Ça ne fait qu'un seul chat brun,
Une fois un, un.

Le chat fait la grimace,
Car il est furieux
De voir un autre chat dans la glace !
Une fois deux, deux.

Chat et chatte, heureux comme des rois,
Regardent leur petit qui boit,
Une fois trois, trois.

Les chats font semblant de se battre,
Une fois quatre, quatre…

Puis, grimpés sur le toit de zinc,
Une fois cinq, cinq,

Ils pourchassent les souris,
Une fois six, six.

Et sautent après les alouettes,
Une fois sept, sept…

Sur le toit, ils passent la nuit,
Une fois huit, huit…

Alors que leur bon lit d'étoffes,
Une fois neuf, neuf,

En bas, les attend chez Clarisse,
Une fois dix, dix.

Les sports d'hiver

Maurice, avec ses deux souliers
Qui ne prennent pas l'humidité,
Dans la neige fait des creux :
Deux fois un, deux.

Il court, avec sa sœur, là-bas ;
Deux fois deux font quatre pas.

Les voilà sur un mur assis,
Deux fois trois, six.

Puis, soudain, ils prennent la fuite,
Deux fois quatre, huit…

Car leurs pieds sont engourdis,
Deux fois cinq, dix.

Mais, en courant sur la pelouse,
Deux fois six, douze,

La fille se fait une entorse,
Deux fois sept quatorze !

Le garçon n'est pas à son aise,
Deux fois huit, seize…

Il crie : « Hé là ! Vite ! Vite ! »
Deux fois neuf, dix-huit,

« Qu'on amène le médecin ! »
Deux fois dix, vingt.

Les Trois Mousquetaires ou Le Collier de la Reine

Les Trois Mousquetaires
Vont en Angleterre ;
Leur habit porte une croix,
Trois fois un, trois.

Penchés au bord du bateau,
Ils voient leur reflet dans l'eau,
Athos, Porthos, Aramis !
Trois fois deux, six.

Puis, ayant quitté la nef,
Trois fois trois, neuf…

Les Mousquetaires en décousent,
Trois fois quatre, douze,

Avec des ducs et des princes,
Trois fois cinq, quinze…

Courent, complotent, s'agitent,
Trois fois six, dix-huit,

Car il leur faut, d'ici demain,
Trois fois sept, vingt et un,

Trouver le collier, se battre,
Trois fois huit, vingt-quatre…

Et rapporter la cassette,
Trois fois neuf, vingt-sept,

Pour que la Reine soit contente,
Trois fois dix, trente !

La nièce attentionnée

Séraphine, dans sa main,
Tient quatre fleurs
du jardin

Qu'elle a cueillies à quatre pattes,
Quatre fois un, quatre…

Va au marché, choisit des truites,
Quatre fois deux, huit,

Elle les pose dans sa blouse,
Quatre fois trois, douze…

Achète un panier
de fraises,
Quatre fois quatre, seize,

Une bouteille de vin,
Quatre fois cinq, vingt,

Un cornet de belles dattes,
Quatre fois six, vingt-quatre,

Puis une douzaine d'huîtres,
Quatre fois sept, vingt-huit,

Puis un ananas juteux,
Quatre fois huit, trente-deux,

Enfin des grappes de cassis,
Quatre fois neuf, trente-six,

Pour la fête de sa tante,
Quatre fois dix, quarante.

La soirée du pianiste

L'artiste est à son piano,
Sa main droite joue en solo,
Ses cinq doigts sont longs et fins !
Cinq fois un, cinq.

Puis, des deux mains, il s'enhardit
Cinq fois deux, dix.

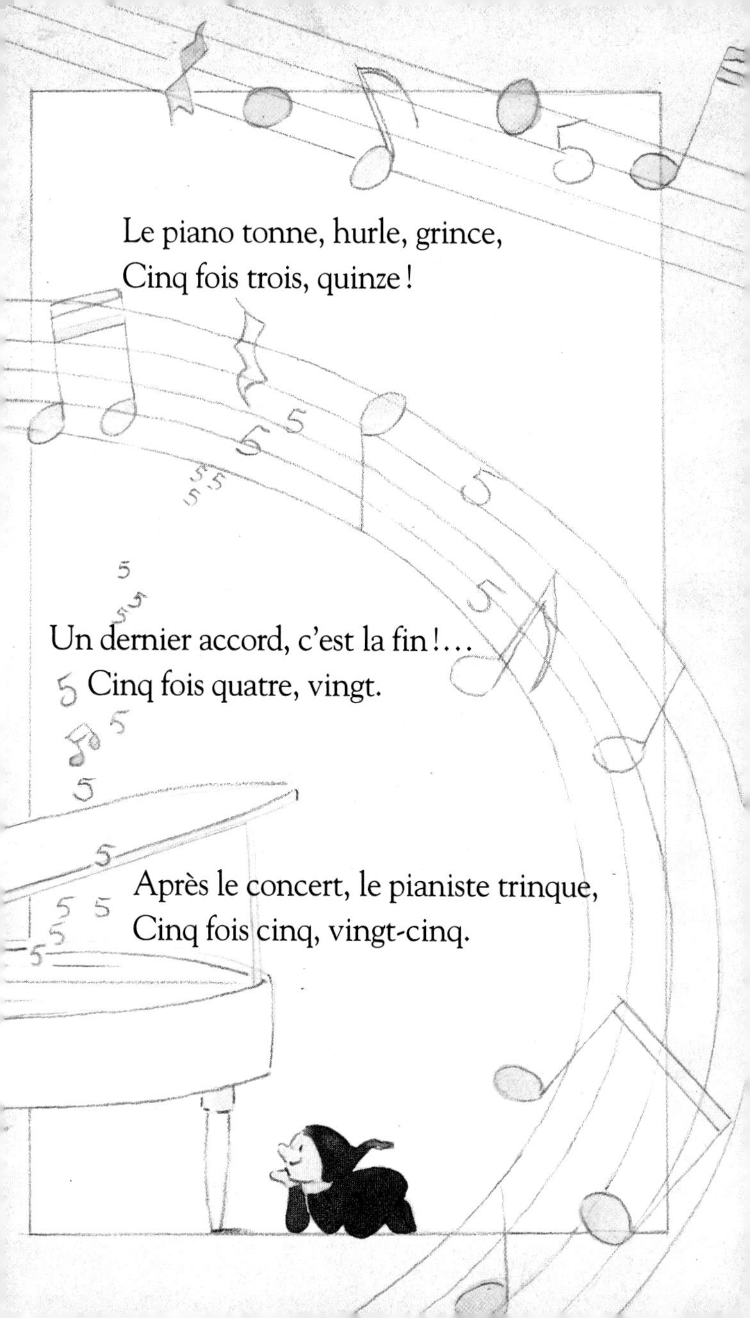

Le piano tonne, hurle, grince,
Cinq fois trois, quinze !

Un dernier accord, c'est la fin !…
Cinq fois quatre, vingt.

Après le concert, le pianiste trinque,
Cinq fois cinq, vingt-cinq.

Puis, il rentre dans sa soupente,
Cinq fois six, trente,

Passe sa chemise de lin,
Cinq fois sept, trente-cinq,

Puis, sa tête devient dolente,
Cinq fois huit, quarante…

Il dort déjà. Tout est éteint,
Cinq fois neuf, quarante-cinq,

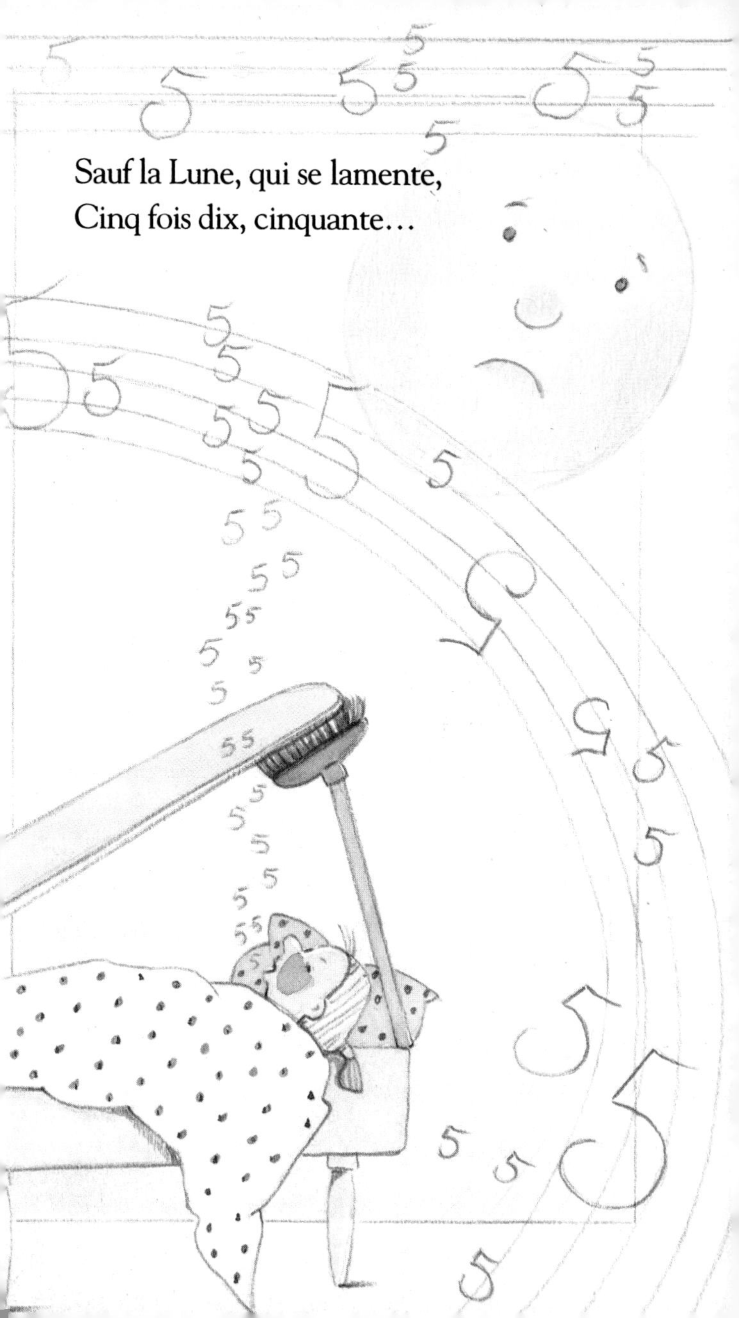

Sauf la Lune, qui se lamente,
Cinq fois dix, cinquante…

Six fois… ou l'omelette

Jean-Pierre, en entrant, dit à Claire :
« Bonjour :
Voilà six œufs frais du jour ! »
Elle répond : « Salut ! Mon futur mari ! »
Six fois un, six,

Car elle est sa future épouse,
Six fois deux, douze !

« Donne les œufs, dit-elle, bien vite ! »
Six fois trois, dix-huit.

Les œufs cassés, elle va les battre,
Six fois quatre, vingt-quatre,

Puis elle hache de la viande,
Six fois cinq, trente,

Avec des brins de persil,
Six fois six, trente-six...

… Et porte le tout sur le feu,
Six fois sept, quarante-deux.

Quand l'omelette est bien cuite,
Six fois huit, quarante-huit,

Voyez-la, dans l'assiette plate,
Six fois neuf, cinquante-quatre,

Dorée, chaude, appétissante,
Six fois dix, soixante.

Les sept nains

La princesse Blanche-Neige,
Chez les sept nains qui la protègent,

Lave, nettoie, époussette,
Sept fois un, sept…

… Lorsqu'une vieille aux jambes torses,
Sept fois deux, quatorze,

Lui dit : « Prends ce beau fruit, tiens ! »
Sept fois trois, vingt et un,

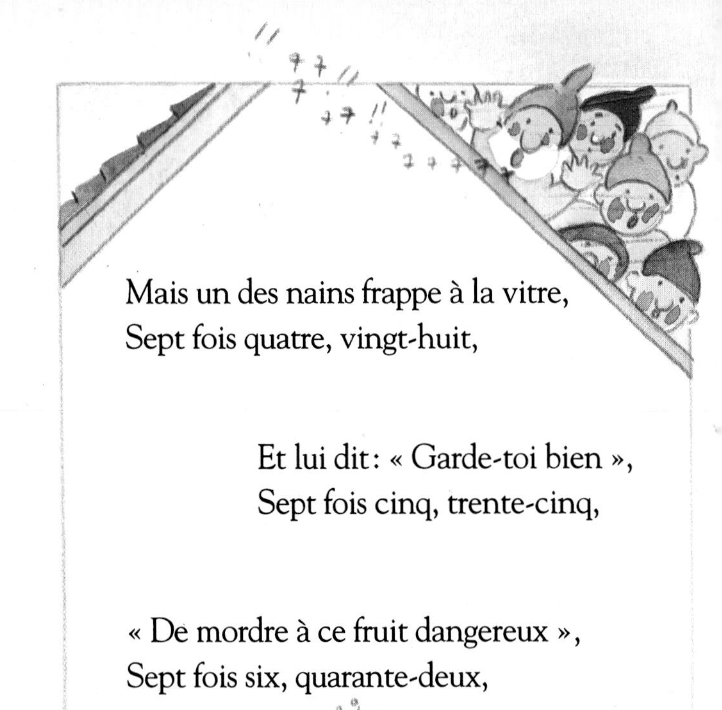

Mais un des nains frappe à la vitre,
Sept fois quatre, vingt-huit,

Et lui dit : « Garde-toi bien »,
Sept fois cinq, trente-cinq,

« De mordre à ce fruit dangereux »,
Sept fois six, quarante-deux,

« C'est un poison qu'elle t'offre ! »,
Sept fois sept, quarante-neuf.

La vieille, dans les airs, s'enfuit…
Sept fois huit, cinquante-six.

Et la Princesse des bois,
Sept fois neuf, soixante-trois,

Est sauvée par ses amis,
Sept fois dix, soixante-dix.

Le cow-boy et les voleurs

Ces huit voleurs de chevaux
Sont surpris un peu trop tôt
Par le cow-boy Hippolyte,
Huit fois un, huit.

Ils s'enfuient, et chacun d'eux
Tire sur lui deux coups de feu.
Quel vacarme ! Quelle fournaise !
Huit fois deux, seize…

… Mais ils ne peuvent l'abattre,
Huit fois trois, vingt-quatre.

Alors, il lance sur eux,
Huit fois quatre, trente-deux,

Son lasso, de corde puissante,
Huit fois cinq, quarante,

Et les entraîne à sa suite,
Huit fois six, quarante-huit.

Sur son passage, on applaudit,
Huit fois sept,
cinquante-six,

On entend les tambours battre,
Huit fois huit, soixante-quatre.

Tous les enfants sont à ses trousses,
Huit fois neuf, soixante-douze,

En triomphateur il revient,
Huit fois dix, quatre-vingts.

Les Muses et le pauvre bœuf

Près de la mer, les neuf Muses,
Insouciantes, s'amusent,
Lorsque arrive, à pas lents, un bœuf,
Neuf fois un, neuf.

Craintives, elles prennent la fuite,
Neuf fois deux, dix-huit.

Cependant, la pauvre bête,
Neuf fois trois, vingt-sept,

Est destinée au sacrifice,
Neuf fois quatre, trente-six.

Les Muses ont le cœur sur la main,
Neuf fois cinq, quarante-cinq,

Et ne voulant pas qu'on l'abatte,
Neuf fois six, cinquante-quatre,

Cachent l'animal plein d'effroi,
Neuf fois sept, soixante-trois,

Sous les branches et sous la mousse,
Neuf fois huit, soixante-douze…

… Et le sacrificateur qui survient,
Neuf fois neuf, quatre-vingt-un,

Croit que le bœuf au ciel est parti,
Neuf fois dix, quatre-vingt-dix.

Histoire de l'avare et de sa femme

La femme de l'Avare pleure :
Elle ne reçoit de son mari
Que dix sous par jour
pour le beurre,
Un peu de viande
et du pain bis !
Dix fois un, dix.

Toujours de l'eau, jamais de vin,
Dix fois deux, vingt !

Quand l'avare a touché ses rentes,
Dix fois trois, trente,

Il les enfouit sous des plantes,
Dix fois quatre, quarante !

Mais, un beau jour
qu'il s'absente,
Dix fois cinq, cinquante,

Sa femme, en semant
de la menthe,
Dix fois six, soixante,

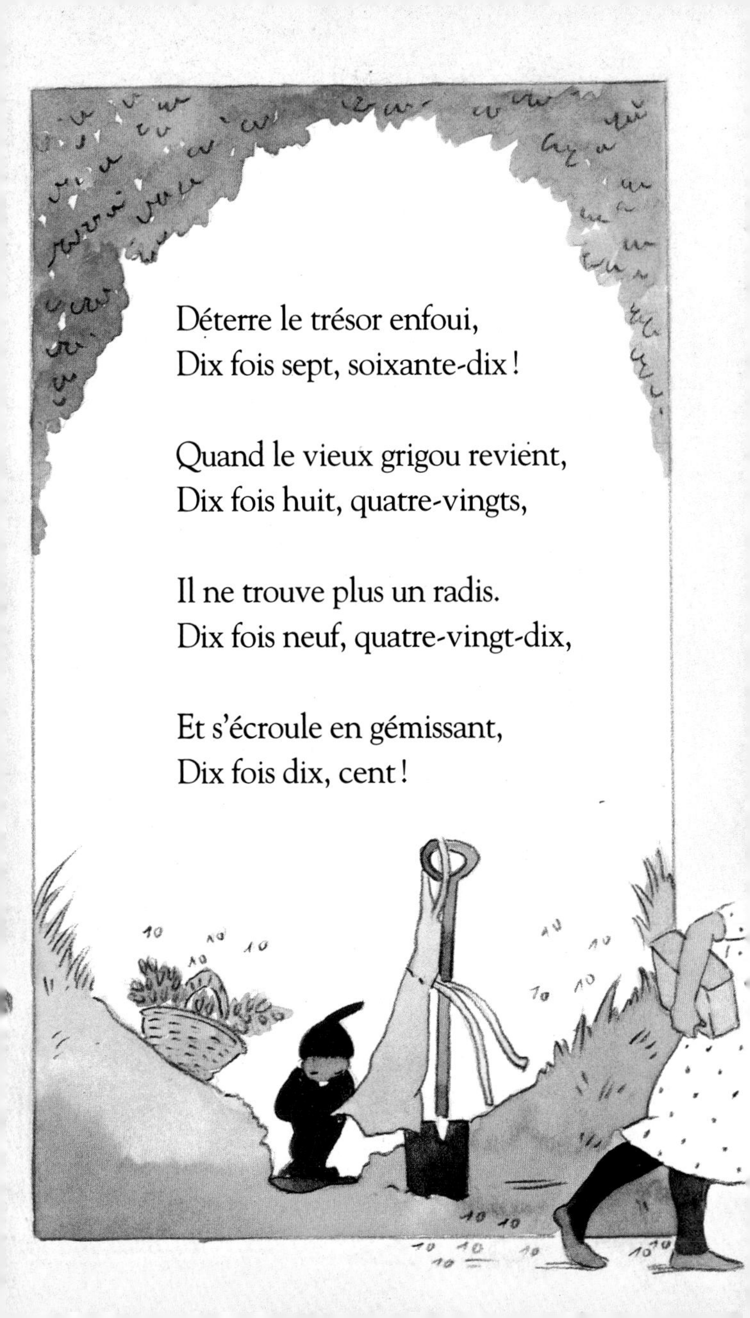

Déterre le trésor enfoui,
Dix fois sept, soixante-dix !

Quand le vieux grigou revient,
Dix fois huit, quatre-vingts,

Il ne trouve plus un radis.
Dix fois neuf, quatre-vingt-dix,

Et s'écroule en gémissant,
Dix fois dix, cent !

Jean Tardieu est né en 1903 dans le Jura d'un père peintre et d'une mère musicienne. Il a fait ses études à Paris. A la Libération, il travaille à la Radiodiffusion française puis à France-Musique et devient enfin conseiller de direction. Son œuvre comprend de très nombreux recueils poétiques et des pièces de théâtre fréquemment représentées en France et à l'étranger. Citons, *Le fleuve caché, Comme ceci, comme cela, Théâtre de chambre, Accents, Le professeur Frœppel, Poèmes à jouer, Jean Tardieu, un poète, La première personne du singulier...*

Joëlle Boucher est née en 1947 à Saint-Cloud un jour de neige. Elle a fait l'école artistique « l'Initiative » à Paris durant trois ans et a deux enfants, Kenzo et Aska. Son premier livre, *Les trois petits flocons,* obtint le prix graphique de Bologne en 1973. Depuis, elle n'a pas cessé de publier ; d'*Amandine* de Michel Tournier aux *Petits Lascars* (Didier), en passant par les vingt-cinq titres de la collection Mine de rien (Hatier), sans oublier deux titres de la collection Découverte Benjamin chez Gallimard : *Grands animaux sous la mer* et *Au fil de la soie*. Elle est également styliste, travaille pour la presse, la publicité et le dessin animé.

Je m'amuse en rimant

Supplément illustré

Rencontre

Les poètes aiment les enfants et ont souvent écrit pour eux. Nous avons voulu aller à leur rencontre afin qu'ils nous parlent de leur vie, de leur travail et, surtout, de la poésie. Voici nos questions et leurs réponses.

■ **Jean Tardieu, peut-on dire que la poésie soit une manière pour vous de prolonger (ou de rétablir) un lien avec votre propre enfance ?**

J'ai commencé à écrire très tôt. De la même façon que j'ai lu très tôt. J'ai grandi dans un milieu où on lisait beaucoup, un milieu d'artistes ; ma mère était musicienne, mon père peintre. Il m'avait acheté les œuvres de Molière. J'ai vu très tôt au théâtre *Le Malade imaginaire*. Ma mère me lisait La Fontaine. J'ai commencé à écrire dès l'âge de 7 ou 8 ans. J'avais composé à ce moment un « poème », une fable simple inspirée de La Fontaine et de Victor Hugo, elle s'intitule « La mouche et l'océan » :

Une mouche se balançait au-dessus d'un océan
Tout à coup, elle se trouva prise dans du froid
Moralité : il faut toujours faire attention.

Depuis, je n'ai jamais cessé d'écrire, pas un seul jour de ma vie. Il me semble que je lisais beaucoup plus que les enfants de mon âge. J'aimais lire la nuit. Et j'aime toujours la nuit, je me sens très calme, à l'abri. J'aime la paix, la sérénité de la nuit. Cela explique que j'ai toujours beaucoup écrit la nuit. Il est vrai que je travaillais toute la journée et qu'il ne me restait que la nuit ! J'ai passé vingt-cinq ans à la radio, au *Club d'essai,* spécialisé dans la poésie et le théâtre.

■ **Durant votre longue carrière, vous avez eu de très nombreux contacts avec les enfants, qu'avez-vous découvert auprès d'eux, et cela a-t-il influencé votre inspiration ?**

J'ai toujours beaucoup aimé les enfants et me suis toujours senti très proche d'eux. Quand j'ai commencé à publier mes premiers recueils, il y avait certains poèmes qui pouvaient tout à fait convenir aux enfants tels *La môme néant, Conversation, J'avais une vache*... Je recevais des lettres, des dessins, des poèmes des enfants eux-mêmes. Ce public m'est resté et semble se renouveler de génération en génération.

■ **Comment travaillez-vous, dans quel cadre ? Que vous faut-il autour ou près de vous ?**

A une époque de ma vie, j'aimais écrire en marchant. Je m'arrêtais sur un banc pour écrire. J'avais toujours un bout de papier et un crayon sur moi. Aujourd'hui, je travaille dans mon bureau situé sous mon appartement avec un tableau de mon père sous les yeux. J'aime m'entourer de portraits d'écrivains ou de peintres. J'ai un portrait de Tolstoï, de Baudelaire également. Ici, le jardin intérieur, avec ses fleurs et sa végétation, apporte une lumière douce très agréable. Je travaille également à la campagne, dans l'Oise, où j'ai une maison avec un petit jardin, située dans un village ancien qui existe depuis le Moyen Age et qui domine la vallée.

■ **Comment devient-on poète, pouvez-vous nous dire pourquoi ?**

C'est une sorte de nécessité qui fait que je suis poète. Dans mon enfance, dans ma jeunesse et même mon âge mûr, le poème venait et vient d'une façon imprévisible. Paul Valéry lui-même ne disait-il pas que le premier vers est donné par les dieux ? Il vous vient comme ça, et ensuite on travaille. C'est un peu comme une photographie qu'on développe dans la chambre noire. On voit surgir des choses à partir de ce début de pensée. Je crois que la poésie a beaucoup de rapports avec la musique. Le vers est une musique des mots qui a déjà une signification par elle-même. Elle peut être gaie ou triste selon la sonorité, puis le sens se surajoute. J'aime également beaucoup le travail de la prose que l'on peut retravailler sans cesse… Alors qu'on ne peut guère changer le poème une fois qu'il est fait ; ce ne serait pas sincère de corriger après coup. Vous savez, quand on a ce goût pour écrire, ça ne vous quitte pas. Je suis très âgé et... j'écris tout le temps.

■ **Parlez-nous de la composition de ce recueil**.

Je me suis amusé à faire rimer la table de multiplication. Cette façon d'écrire existait bien avant moi. Cela s'appelle la mnémotechnique. De 1 à 10, chaque multiplicateur est devenu une petite histoire.

Jeux

■ Le carré magique

Ce carré magique te permettra de vérifier si tu as bien appris les tables de multiplication du poète. Retrouve pour chaque vers le nombre avec lequel il rime, puis inscris-le dans la case correspondante. Additionne ensuite les cases horizontalement et verticalement pour vérifier que tu ne t'es pas trompé. *(Réponses page 55)*

1. A. Les chats font semblant de se battre.
2. A. Sauf la Lune, qui se lamente.
3. A. Voyez-la, dans l'assiette plate.
4. A. La vieille, dans les airs, s'enfuit…

1. B. On entend les tambours battre.
2. B. Craintives, elles prennent la fuite.
3. B. Avec des brins de persil.
4. B. Toujours de l'eau, jamais de vin.

1. C. Les Muses ont le cœur sur la main.
2. C. Puis, il rentre dans sa soupente.
3. C. Elle les pose dans sa blouse.
4. C. Le piano tonne, hurle, grince.

	A	B	C	D	
1					143
2					110
3					174
4					136
	164	138	102	159	

1. D. Quand l'avare a touché ses rentes.
2. D. Les Mousquetaires en décousent.
3. D. Tous les enfants sont à ses trousses.
4. D. Il dort déjà. Tout est éteint.

■ Une leçon bien apprise

Voyons si les méthodes de Jean Tardieu te sont utiles. Grâce à ce petit jeu, tu vas tester ta mémoire. Il te suffit juste de compléter chaque vers.

(Réponses page 55)

A/ Penchés au bord du bateau,
Ils voient leur reflet dans l'eau,
Athos, Porthos, Aramis !
TROIS FOIS DEUX, ...

B/ Un cornet de belles dattes,
QUATRE FOIS SIX, ...
Puis une douzaine d'huîtres,
QUATRE FOIS SEPT, ...

C/ Après le concert, le pianiste trinque,
CINQ FOIS CINQ, ...
Puis, il rentre dans sa soupente
CINQ FOIS SIX, ...

D/ Quand l'omelette est bien cuite,
SIX FOIS HUIT, ...
Voyez-là, dans l'assiette plate,
SIX FOIS NEUF, ...

E/ On entend les tambours battre,
HUIT X HUIT, ...
Tous les enfants sont à ses trousses,
HUIT X NEUF, ...

F/ Quand l'avare a touché ses rentes,
DIX FOIS TROIS, ...
Il les enfouit sous des plantes,
DIX FOIS QUATRE, ...

■ La table de 9 est très facile

Voici un «truc» pour te souvenir de la table de 9.
Prends une feuille.
Recopie ce qui se trouve dans le cadre.
Puis, avec un crayon rouge inscris en face de 1 x 9 le chiffre 0, en face de 2 x 9 le chiffre 1 et ainsi de suite. Tu descends jusqu'à 10 x 9 et tu inscris le chiffre 9.
Puis, avec un crayon bleu, en partant de 10 x 9 tu remontes en commençant à nouveau à partir de 0 ce qui donne : 10 x 9 = 90
et tu continues avec 9 x 9 = 81
et ainsi de suite jusqu'à
1 x 9 = 9.

1 x 9 =
2 x 9 =
3 x 9 =
4 x 9 =
5 x 9 =
6 x 9 =
7 x 9 =
8 x 9 =
9 x 9 =
10 x 9 =

Tu auras obtenu la table de 9 sans te fatiguer et sans erreur !

Réponses

pages 50 et 51

Le carré magique :

	A	B	C	D	
1	4	64	45	30	143
2	50	18	30	12	110
3	54	36	12	72	174
4	56	20	15	45	136
	164	138	102	159	

pages 52 et 53

Une leçon bien apprise :

A. *3x2=6 -*
B. *4x6=24 - 4x7=28 -*
C. *5x5=25 - 5x6=30 -*
D. *6x8=48 - 6x9=54 -*
E. *8x8=64 - 8x9=72 -*
F. *10x3=30 - 10x4=40.*

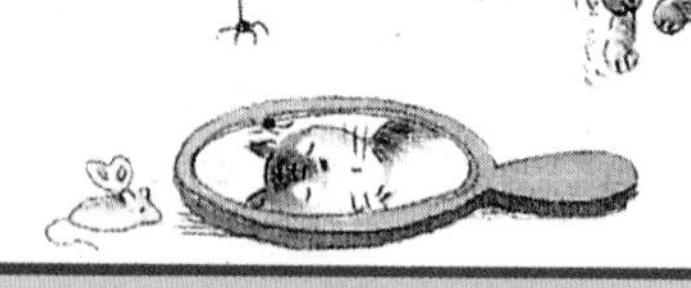

collection folio cadet

série or

Petites poésies pour jours de pluie..., Jabès/Richard
La cour de récréation, Roy/Lemoine
Échos, Guillevic/Vincent
Je m'amuse en rimant, Tardieu/Boucher

série rouge

Le cheval en pantalon, Ahlberg
Histoire d'un souricureuil, Allan/Blake
Le rossignol de l'empereur de Chine, Andersen/Lemoine
Grabuge et l'indomptable Amélie, Brissac/Lapointe
Le port englouti, Cassabois/Boucher
Petits contes nègres..., Cendrars/Duhême
Fantastique Maître Renard, Dahl/Ross
Louis Braille, Davidson/Dahan
Thomas et l'infini, Déon/Delessert
Mina, mine de rien, Farré/Scheffler
Aristide, Friedman/Blake
Rose Blanche, Gallaz/Innocenti
Le poney dans la neige, Gardam/Geldart
L'homme qui plantait des arbres, Giono/Glasauer
Prune et Fleur de Houx, Godden/Cooney
Les sorcières, Hawkins
Le voyage d'Alice, Héron/Dumas
Longue vie aux dodos, King-Smith/Parkins
Voyage au pays des arbres, Le Clézio/Galeron
Sarah la pas belle, MacLachlan/Blake
L'enlèvement de la bibliothécaire, Mahy/Blake
Amandine Malabul, sorcière maladroite, Murphy
Amandine Malabul la sorcière a des ennuis, Murphy
Riquet à la Houppe, Perrault/Claverie
Cendrillon, Perrault/Innocenti
Pierrot ou les secrets de la nuit, Tournier/Bour
Barbedor, Tournier/Lemoine
Comment Wang-Fô fut sauvé, Yourcenar/Lemoine
Trollina et Perla, Ziliotto/Scouvart
Le grand livre vert, Graves/Sendak
L'ogron, Serres/Deiss
Le lait de la lionne, Singer/Fix
Les histoires de Julien, Cameron/Strugnell